中华人民共和国住房和城乡建设部公告

第740号

住房城乡建设部关于发布国家标准《船厂既有水工构筑物结构改造和加固设计规范》的公告

现批准《船厂既有水工构筑物结构改造和加固设计规范》为国家标准，编号为GB/T 51087—2015，自2015年10月1日起实施。

本规范由我部标准定额研究所组织中国计划出版社出版发行。

中华人民共和国住房和城乡建设部

2015年2月2日

前　　言

本规范是根据住房城乡建设部《关于印发2009年〈工程建设标准规范制定、修订计划〉的通知》(建标〔2009〕88号)的要求，由中船第九设计研究院工程有限公司会同有关单位编制而成。

在编制过程中，编制组开展了专题研究，进行了广泛的调查分析，总结了数十年来船厂既有水工构筑物工程改造和加固设计的实践经验，吸纳了该领域新的研究成果，并征求了国内有关设计、施工、科研、教学以及船厂等单位的意见，反复讨论、修改，最后经审查定稿。

本规范共分8章和1个附录，主要技术内容有：总则、术语、基本规定、既有构筑物的检测和评估、船坞结构改造和加固设计、码头结构改造和加固设计、船台滑道结构改造和加固设计、监测等。

本规范由中国船舶工业集团公司负责日常管理工作，中船第九设计研究院工程有限公司负责具体技术内容的解释。执行过程中如有意见或建议，请寄送中船第九设计研究院工程有限公司(地址：上海市武宁路303号，邮政编码：200063)。

本规范主编单位、参编单位、参加单位、主要起草人和主要审查人：

主编单位：中船第九设计研究院工程有限公司

参编单位：中交第三航务工程勘察设计院有限公司

参加单位：喜利得(中国)商贸有限公司

上海中九工程检测有限公司

主要起草人：顾倩燕　赵洪琼　费永成　高加云　徐东晖

宣庐峻　江　杰　陈奉琦　陈明关　顾宽海

陈家晖　高　飞

主要审查人:应惠清　李耀良　郑荣平　吴君侯　王明华
郑永来　姚文娟　谢耀雄　许丽萍　傅立容
于庆海　苏汉民　王国海　蔡兴波　洪　帆

目　次

1　总　则 …………………………………………………………（1）
2　术　语 …………………………………………………………（2）
3　基本规定 ………………………………………………………（4）
3.1　一般规定 ………………………………………………………（4）
3.2　设计基本原则……………………………………………………（4）
3.3　基本要求 ………………………………………………………（6）
4　既有构筑物的检测和评估 ……………………………………（7）
4.1　一般规定 ………………………………………………………（7）
4.2　既有构筑物的现场调查与检测…………………………………（8）
4.3　既有构筑物的评估 ……………………………………………（9）
5　船坞结构改造和加固设计 ……………………………………（10）
5.1　一般规定 ………………………………………………………（10）
5.2　船坞接长和拓宽改造 …………………………………………（10）
5.3　船坞局部加深改造 ……………………………………………（12）
5.4　船坞结构维修和加固 …………………………………………（12）
5.5　起重机轨道改造和加固 ………………………………………（13）
6　码头结构改造和加固设计 ……………………………………（16）
6.1　一般规定 ………………………………………………………（16）
6.2　码头结构扩建和改造 …………………………………………（17）
6.3　码头结构维修和加固 …………………………………………（19）
7　船台滑道结构改造和加固设计 ………………………………（22）
7.1　一般规定 ………………………………………………………（22）
7.2　船台滑道接长和拓宽改造 ……………………………………（22）
7.3　船台滑道维修和加固 …………………………………………（24）

8 监　　测 ………………………………………………………（25）
附录A　后锚固设计 ………………………………………………（26）
本规范用词说明 …………………………………………………（32）
引用标准名录 ……………………………………………………（33）
附:条文说明 ……………………………………………………（35）

Contents

1 General provisions (1)
2 Terms (2)
3 Basic requirements (4)
3.1 General requirements (4)
3.2 Basis principles of design (4)
3.3 Basic requirements (6)
4 Monitoring and evaluation of existing structure (7)
4.1 General requirements (7)
4.2 Field survey and monitoring of existing structure (8)
4.3 Qualification and evaluation of existing structure (9)
5 Renovation and strengthening design of existing dry dock structure (10)
5.1 General requirements (10)
5.2 Longitudinal and transversal addition of dock structure (10)
5.3 Locally deepening of dock structure (12)
5.4 Repairing and strengthening of dock structure (12)
5.5 Renovation and strengthening of crane rail foundation (13)
6 Renovation and strengthening design of existing wharf structure (16)
6.1 General requirements (16)
6.2 Addition and renovation of wharf structure (17)
6.3 Repairing and strengthening of wharf structure (19)
7 Renovation and strengthening design of existing berth and slipway (22)

7.1 General requirements ·· (22)
7.2 Longitudinal and transversal addition of berth and slipway ·· (22)
7.3 Repairing and strengthening of berth and slipway ··········· (24)
8 Monitoring ·· (25)
Appendix A Design of post-installed anchors ············· (26)
Explanation of working in this code ························ (32)
List of quoted standards ································ (33)
Addition: Explanation of provisions ························ (35)

1 总　　则

1.0.1 为使船厂既有水工构筑物改造和加固工程的设计符合因地制宜、安全适用、技术先进、经济合理的原则，满足环境保护要求，制定本规范。

1.0.2 本规范适用于船厂既有水工构筑物的扩建和改造、维修和加固设计，水工构筑物主要包括船坞、码头、船台滑道。

1.0.3 船厂既有水工构筑物改造和加固设计前，应对其技术状态进行检测和评估。设计方案应结合社会、经济、技术等因素综合比较确定。

1.0.4 船厂既有水工构筑物改造和加固设计除应符合本规范规定外，尚应符合国家现行有关标准的规定。

2 术　　语

2.0.1　检测和评估　　testing and evaluation

为检验既有结构在未来使用中的可靠性而开展的一系列工作。

2.0.2　安全性　　safety

结构在正常使用条件下，承受可能出现的各种作用而保持安全的性能。

2.0.3　使用性　　serviceability

结构在正常使用条件下，满足预定使用要求的性能。

2.0.4　耐久性　　durability

结构在正常使用维护下，在规定的时间内随时间变化而仍能满足预定功能要求的性能。

2.0.5　设计使用年限　　design service life

结构或构件按设计目的和使用条件使用而不需要大修的预定年限。

2.0.6　结构缝　　structural joint

结构分段之间的分缝，主要为适应温度、湿度作用对构筑物变形影响的伸缩缝、适应构筑物不同部分不均匀沉降影响的沉降缝和适应地震作用对构筑物变形影响的防震缝等。

2.0.7　水工构筑物　　hydraulic structure

在水的静力或动力作用下，与水发生相互作用的各种建筑物。船厂水工构筑物主要包括船坞、码头、船台滑道等。

2.0.8　船坞　　dock

位于地面以下，有开口通向水域以进出船舶，并设有闸门，关闭后将水排干以从事修造船的水工构筑物。

2.0.9 高桩码头 open type wharf with standing piles

由桩基及上部结构组成的各种码头。上部结构可采用梁板式、桁架式等形式。

2.0.10 重力式码头 gravity quay

以结构本身和填料的重力保持稳定的码头。

2.0.11 板桩码头 sheet pile wharf;sheet pile quay wall

由板桩、导梁、上部结构和锚锭结构组成的码头。

2.0.12 船台滑道 berth and slipway

供船舶在岸上修造的场地称为船台,供船舶上墩下水的专用通道称为滑道。

2.0.13 倾斜船台 inclined berth

结构顶面以一定坡度向水域倾斜的船台。

2.0.14 水平船台 horizontal berth

结构顶面呈水平的船台。

2.0.15 自立式挡墙 self-stable retaining wall

无支撑或拉锚,依靠结构与土体共同作用使其自身能保持稳定的挡土结构,主要包括格形地下连续墙、双排桩挡墙等。

2.0.16 排水减压式 drainage relief type

采用排除地下水以降低地下水位,从而减少或消除地下水压力的作用,保持结构稳定的形式。

2.0.17 技术状态 technical conditions

在外荷载作用下,结构能够满足承载能力极限状态和正常使用极限状态的能力。

3 基本规定

3.1 一般规定

3.1.1 船厂水工构筑物结构改造和加固设计内容及范围应根据检测评估报告结论和使用要求确定。设计方案应经济合理、安全可靠、施工可行、环保节能、符合国家现行有关标准规定。

3.1.2 改造和加固工程的平面布置设计应根据船厂工艺流程、扩建规模、周边环境条件等因素综合考虑确定。

3.1.3 改造和加固工程的结构设计方案应根据工程地质及自然条件进行技术论证，并应充分考虑工程施工过程对周边构筑物和环境的影响。

3.1.4 在改造设计开始前应对原结构进行检测和评估。检测和评估应包括地基基础、混凝土结构、钢结构、防腐蚀措施等内容。检测方法可按现行行业标准《港口水工建筑物检测与评估技术规范》JTJ 302 和《水运工程水工建筑物原型观测技术规范》JTJ 218 的有关规定执行。

3.1.5 当原有岩土工程勘察资料不能满足结构改造和加固设计要求时，应进行补充勘察。

3.1.6 当改变结构的用途和使用环境时，应经鉴定和设计复核。

3.2 设计基本原则

3.2.1 改造和加固设计宜依据原工程设计文件、竣工资料、维修记录以及检测评估报告进行，并应进行现场踏勘，调查构筑物技术状态、周边构筑物布置情况等工作。

3.2.2 结构设计应采用以分项系数表达的极限状态设计法，并应符合现行国家标准《港口工程结构可靠性设计统一标准》

GB 50158的有关规定。

3.2.3 结构分析方法应符合现行行业标准《水运工程混凝土结构设计规范》JTS 151 和《水运工程钢结构设计规范》JTS 152 的有关规定。

3.2.4 改造和加固工程的安全等级应考虑结构的重要性和下一个使用期的具体要求，结合其破坏后果的严重程度等因素综合确定。

3.2.5 改造和加固设计宜采用同寿命设计原则，新增结构设计使用年限不应低于既有结构的剩余使用年限。

3.2.6 改造和加固后结构设计使用年限应根据使用要求和技术条件确定，不宜少于 5 年。

3.2.7 既有构筑物原设计使用年限到期后，在重新进行可靠性评估后认为仍可正常工作时，可根据检测评估报告结论延长其使用年限。

3.2.8 结构改造和加固设计应根据检测评估报告结论进行，并应充分考虑结构损坏、材料劣化、新老材料的结合性能和材料性能等的影响。

3.2.9 改造设计中应考虑相邻新老结构间的差异沉降、变位协调性。

3.2.10 有抗震设防要求的船厂既有水工构筑物工程，改造和加固设计应符合现行行业标准《水运工程抗震设计规范》JTS 146 的有关规定。

3.2.11 对加固和改造后的船厂水工构筑物，应进行验收。验收标准应符合现行行业标准《水运工程质量检验标准》JTS 257 的有关规定。

3.2.12 对于改造后的结构，宜有正常的检查与维护制度。对于重要的改造后结构，应在设计使用年限内进行定期检测与长期监测，检测、监测的内容和要求可按现行行业标准《水运工程水工建筑物原型观测技术规范》JTJ 218 的相关规定执行。

3.3 基本要求

3.3.1 结构拆除应符合下列规定：

1 宜采用无损拆除的方法，对损坏部分应按原结构形式及使用技术要求进行维修加固。

2 应加强对既有结构缝的保护。

3 上部结构拆除时，应防止桩头破损。

3.3.2 新浇混凝土应符合下列要求：

1 新浇混凝土强度等级宜比原构件混凝土强度等级提高一级，并不宜低于C30。

2 新浇混凝土层最小厚度，对板不宜小于40mm；对梁和受压构件不宜小于60mm；并应满足现行行业标准《水运工程混凝土结构设计规范》JTS 151中钢筋混凝土保护层最小厚度的要求。

3 新浇混凝土层厚度小于100mm时，可采用细石混凝土或喷射高性能抗拉复合砂浆。在结构尺寸复杂和新浇混凝土施工条件差的情况下，可采用微膨胀、无收缩或自密实混凝土。

3.3.3 新老混凝土结构连接宜符合下列要求：

1 施工缝宜采用设置凹凸槽、插筋，布置止水材料等方法。

2 结构钢筋连接可采用与既有结构钢筋焊接、机械连接或植筋等方法。

3 结构缝宜采用设置剪力槽、传力杆，布置橡胶止水带、嵌缝材料等方法。

3.3.4 新老结构分段连接处应采取措施控制差异沉降。

3.3.5 打入桩在沉桩过程中应保护相邻结构，宜采用钻孔取土、设防振隔离等措施。

4 既有构筑物的检测和评估

4.1 一般规定

4.1.1 船厂既有水工构筑物在进行结构改造和加固设计前，应对其缺陷和损伤、承载力、变形和位移等涉及结构安全性、使用性及耐久性等项目进行检测和评估。

4.1.2 检测和评估工作应按“现场调查、检测、复核、评估”的工作程序进行。

4.1.3 检测方法和抽样方案应符合下列要求：

1 应根据现场调查结果与收集到的相关资料，针对具体结构形式，按结构安全性、使用性、耐久性等方面确定检测项目和内容。

2 检测应依据检测项目、检测目的、结构状况和现场条件选择适宜的检测方法。检测应选择有损检测和无损检测相结合的方法，并应优先选择无损检测。检测方法可按现行行业标准《港口水工建筑物检测与评估技术规范》JTJ 302 和《水运工程水工建筑物原型观测技术规范》JTJ 218 的有关规定执行。

3 现场检测可采用全数检测或抽样检测的方法，对于批量检测项目可采取计数抽样、计量抽样或计量与计数混合抽样的方法。

4.1.4 检测和评估报告应包括下列内容：

1 工程概况、检测和评估目的；

2 检测和评估依据，包括所依据的标准及有关的技术资料等；

3 检测范围、检测项目和选用的检测方法及仪器设备；

4 检测抽样方案和检测数量；

5 检测项目的检测数据、计算及判定结论；

6 既有构筑物的结构安全性、使用性和耐久性评估结论。

4.1.5 检测后应及时对检测造成的结构或构件局部损伤进行修补。

修补后结构或构件的安全性、使用性及耐久性不得低于原结构。

4.2 既有构筑物的现场调查与检测

4.2.1 既有构筑物的现场调查与检测应符合下列要求：

1 现场调查应查看实际使用情况，明确检测和评估的目的，确定检测和评估的工作范围，了解现场作业条件。相关资料收集内容应包括原勘察设计文件和竣工资料、构筑物的历史资料、检查和维护资料。

2 检测内容应包括地基基础、混凝土结构、钢结构、附属设施、防腐蚀措施。

3 检测方法及要求应符合现行行业标准《港口水工建筑物检测和评估技术规范》JTJ 302的有关规定。

4.2.2 地基基础的检测项目宜包括地基土层分布及物理力学性能，基础的外观质量、缺陷与损伤、尺寸与偏差、完整性、混凝土物理力学性能，地基基础承载能力、位移与变形。

4.2.3 混凝土结构检测宜包括混凝土外观质量、缺陷与损伤、尺寸与偏差、位移与变形、钢筋锈蚀、混凝土碳化、混凝土物理力学性能等项目。有特定要求时，宜对混凝土微观结构、氯离子含量、碱含量、混凝土抗渗性能、抗冻性能、抗硫酸盐侵蚀性能等进行专项检测。

4.2.4 钢结构检测宜针对大气区、浪溅区、潮差区和水下区等不同部位分别检测，检测宜包括损伤的位置、区域和程度，变形与变位，焊缝，锈蚀发生的位置、面积和分布情况，构件剩余厚度，外力作用引起的损伤等内容。

4.2.5 附属设施检测项目宜包括系船设备、防冲设备、钢轨、车挡和埋设件、爬梯和阶梯、护轮槛、系网环和护栏、船坞坞门、观测设施。

4.2.6 防腐蚀措施检测宜包括腐蚀介质调查，外加电流阴极保护、牺牲阳极保护、钢结构涂层、混凝土结构涂层及钢拉杆防腐层检测等内容。

4.2.7 当根据调查、检测和评估结果尚不能确定结构安全性、使用性、耐久性等性能时，应进行原位荷载试验。试验方案应依据设计要求以及构件的实际情况确定。

4.3 既有构筑物的评估

4.3.1 应根据检测结果按不同使用状态对结构分别进行验算和综合分析，并应对安全性、使用性和耐久性进行评估分级。评估分级应符合现行行业标准《港口水工建筑物检测和评估技术规范》JTJ 302的有关规定。

4.3.2 安全性评估应符合下列规定：

1 结构构件验算使用的计算模型应符合结构构件实际受力与构造状况。

2 对结构的作用应经调查或检测核实。

3 验算时构件材料的标准值应采用现行有关规范规定的标准值。当结构有明显的功能退化现象和施工缺陷时，应进行现场检测并应符合现行国家标准《港口工程可靠性设计统一标准》GB 50158的有关规定。

4 确定构件的几何参数时，应采用实测值，并应计入材料劣化、局部缺陷和施工偏差等影响。

5 进行安全性评估时，应考虑自然环境及地基与基础工作条件的变化。

4.3.3 使用性评估应按正常使用极限状态进行验算，并应包括荷载作用下影响正常使用或影响外观的过大变形（挠度）、裂缝等内容。

4.3.4 耐久性评估应根据混凝土结构、钢结构因材料劣化造成的损伤程度，并应结合维修或修复的难易程度进行评估与分级。当耐久性损伤导致安全性、使用性功能明显降低时，应按承载能力极限状态或正常使用极限状态进行评估。

5 船坞结构改造和加固设计

5.1 一般规定

5.1.1 船坞改造可包括船坞接长、拓宽及局部加深等工作，设计内容应包括结构、耐久性、止水体系设计，以及对主要施工方法、工序和工况的要求等内容。

5.1.2 改造设计前应对既有结构进行检测和评估。船坞结构检测和评估应包括地基基础、混凝土结构、钢结构、防腐蚀措施、减压排水系统、止水系统等内容。

5.1.3 船坞改造设计前除应按本规范第 3.2.1 条的规定收集有关资料外，还应收集建筑场地与环境条件有关的资料，资料可包括周边设备的使用荷载及其基础结构形式、管线情况、护岸及防汛墙的结构形式等内容。

5.1.4 船坞改造应充分考虑使用要求、地质条件、施工条件、周边环境条件等因素，宜采用排水减压式。

5.1.5 排水减压式船坞改造设计中应对改造后的船坞渗流量进行复核。

5.1.6 改造设计中除应满足构筑物及基础的强度、稳定要求外，还应控制周边构筑物在施工过程中的变形及其对新老结构连接的影响。

5.1.7 改造和加固设计除应满足本规范规定外，还应符合现行行业标准《干船坞设计规范》CB/T 8524 的有关规定。

5.2 船坞接长和拓宽改造

5.2.1 船坞坞尾方向接长改造设计可包括既有坞墙拆除设计，新建坞墙、底板结构设计，止水体系设计等内容。坞口方向接长改造设计应包括既有坞口拆除设计，新建坞口、坞墙及底板结构设计，止水体系设计等内容。

5.2.2 船坞拓宽改造宜采用单侧拓宽方式。坞口拓宽改造设计可包括既有坞墩结构拆除设计、新建坞口结构设计、止水体系设计等内容。坞室拓宽改造设计应包括既有坞墙拆除设计，新建坞墙、底板结构设计，止水体系设计等内容。

5.2.3 改造后坞口结构的尺寸应符合现行行业标准《干船坞设计规范》CB/T 8524 的有关规定。

5.2.4 船坞拓宽时宜利用既有坞口结构，可采取增设坞口底板桩基、防渗帷幕及增加坞墩截面尺寸等保证坞口结构整体稳定性的方法。

5.2.5 接长段的坞墙结构形式的选择应结合现场环境和荷载条件，宜与既有结构相同，在环境有限制的区域可采用自立式挡墙结构。新老坞墙结构连接应充分考虑不均匀变位，并应确保连接部位的止水密封效果。

5.2.6 接长和拓宽改造设计中坞墙变形控制可采用设置临时支撑或土体加固等方法。

5.2.7 新老坞室底板可采用分离式、整体式等连接方式，应充分考虑新老结构间的不均匀沉降，并应确保新老结构间的止水密封效果。

5.2.8 接长及拓宽段的止水系统宜与既有止水系统可靠连接。

5.2.9 船坞改造设计荷载应符合现行行业标准《干船坞设计规范》CB/T 8524 的有关规定，不宜考虑施工中的深层降水措施。

5.2.10 船坞改造设计计算，宜包括下列内容：

1 新建坞口的稳定及承载能力；

2 既有、新建坞墙的稳定及承载能力；

3 既有、新建底板的稳定及承载能力；

4 改造后船坞的渗流稳定及渗流量；

5 新增结构与相邻既有结构在施工期及使用期的变位。

5.2.11 经验算结构地基基础承载能力不足时，宜进行现场载荷试验确定实际承载能力。加固设计可按国家现行标准《混凝土结构加固设计规范》GB 50367 和《既有建筑地基基础加固技术规范》JGJ 123 的有关规定执行。

5.2.12 坞口改造设计方案可采用临时围堰挡水或无围堰的施工方法。对于拆除部分坞墩结构的情况，可利用现有坞门挡水，拆除部分坞墩后再水下拆除剩余坞墩。设计时应复核坞墩结构拆除时坞口结构的整体稳定性。

5.2.13 当环境保护要求高或其他施工方法受限制时，既有结构的拆除宜采用静力无损直线切割工艺。

5.2.14 坞墩结构的凿除面作为新建坞口结构面时，应采取措施符合坞门设备、耐久性等相关要求。

5.3 船坞局部加深改造

5.3.1 船坞局部加深的规模和尺度由修造船工艺确定，结构设计应复核局部加深对既有船坞坞墙的影响。

5.3.2 排水减压式船坞宜在局部加深的范围设置独立的止水系统，局部加深处可采用封底加固或桩基抗拔等方法进行抗浮处理。

5.3.3 当局部加深基坑开挖边线与坞墙内边线距离小于 2.5 倍基坑开挖深度时，宜采用切割技术拆除改造区域底板。

5.3.4 局部加深改造处的底板设计应符合本规范第 5.2.7 条的规定。

5.4 船坞结构维修和加固

5.4.1 船坞结构的维修和加固方案应在完成既有结构的检测和评估后进行，并根据结构发生损坏的原因、技术要求和施工条件确定。

5.4.2 船坞结构的裂缝修复宜采用水泥压力灌浆、化学灌浆等方法。

5.4.3 船坞结构中梁、板等构件破损严重或钢筋锈蚀严重时，宜采用补焊钢筋、外包混凝土、粘贴钢板、植筋、增设支点加固等补强加固方法。

5.4.4 既有船坞止水系统的修复方法不得对既有排水减压系统造成不利影响。

5.4.5 船坞增设预埋件宜采用后锚固方法，后锚固设计宜按本规范附录A执行。

5.5 起重机轨道改造和加固

5.5.1 轨道的改造和加固应包括起重机轨道接长和升级等内容。

5.5.2 轨道的改造和加固设计除应按本规范第3.2.1条的规定收集基本资料外，还应收集起重机设备的平面布置、技术参数、使用要求等资料。

5.5.3 轨道基础改造和加固设计前应对既有结构和基础进行检测与评估。

5.5.4 在满足使用要求的前提下，应合理布置锚碇、防风拉锚、顶升、电缆沟槽、供电坑等各种附属结构的平面位置。

5.5.5 轨道接长应符合下列规定：

1 轨道接长应按国家现行标准重新设计。

2 轨道接长段与既有轨道钢轨应平顺连接，允许偏差应符合表5.5.5的规定。

3 新老轨道梁连接处应采用减少沉降差的技术措施。

4 轨道梁接长穿越防汛闸门时宜设置活动钢轨。

5 焊接钢轨的接长应计算温差对钢轨长度的影响。

表5.5.5 轨道安装允许偏差、检测数量

序号	项　目	允许偏差 (mm)	检验数量	单元测点
1	轨道中心线	5	每10m一处	1
2	轨距	±5		1

续表 5.5.5

序号	项　　目	允许偏差(mm)	检验数量	单元测点
3	轨顶标高	±5	每 10m 一处	1
4	同一截面两轨高差	10		1
5	轨道纵向倾斜(每 10m)	10		1
6	轨道接头表面高差	1	每个接头逐个检查	2
7	伸缩缝间隙	±1		1
8	护轨槽与钢轨顶高差	+0 −10	每 10m 一处	1

注：本表适用于门座起重机，跨度大的门式起重机应按设计要求检查。

5.5.6 轨道升级改造应符合下列要求：

1 既有轨道的承载能力不能满足生产要求时，应进行设备改造与土建改造两种设计方案的综合比选。

2 非坚硬地基上的轨枕道碴轨道，当起重机单个轮压升级后大于 250kN 时，基础型式宜采用格型梁板结构。

3 起重机轮压荷载增加时，应复核钢轨型号。

5.5.7 改造和加固设计方法应符合下列要求：

1 混凝土轨道梁加固设计应包括下部基础和上部结构；当既有轨道梁强度、刚度、稳定性或耐久性不足时，应进行加固。

2 混凝土轨道梁的加固可采用施加体外预应力、改变结构体系、增大截面、粘贴钢板、更换主梁、增强横向整体性等方法，也可采用上述多种方法组合。

3 天然地基轨道梁下部基础加固可采用增大梁底截面、地基加固等方法。

4 当天然地基轨道梁增加锚锭、防风拉锚等受力构件时，可采用局部增加轨道梁截面尺寸等方法。当荷载较大，靠自重难以满足稳定要求时，可采用设置锚杆、联系梁等措施。

5 桩基础轨道梁的基桩承载力原设计值不能满足改造后使

用荷载的要求时，可通过荷载试验确定实际基桩承载力，当仍不能满足时，应进行补桩。

6 桩基结构的轨道梁增加锚锭、防风拉锚、顶升等受力构件时，可在轨道梁锚锭范围内增加桩基，形成低桩承台。承台结构除应满足自身承载力要求和预埋构件的尺寸需要外，还应满足与下部桩基共同抵抗水平力与上拔力的要求。

5.5.8 轨道的设计荷载应包括自重、轮压荷载、锚碇荷载、防风拉锚荷载以及地震作用等内容。增加起重机数量时，应对新增加的工况组合进行复核。

5.5.9 轨道改造和加固设计计算应包括下列内容：

1 轨道梁的承载能力、变形计算和稳定性验算；

2 轨道梁地基基础的承载力和变形计算；

3 锚锭、防风拉锚、顶升、车挡等基础结构的计算；

4 后锚固、预埋件等计算。

6 码头结构改造和加固设计

6.1 一般规定

6.1.1 船厂码头结构的改造和加固应根据结构具体状况和使用要求进行。

1 扩建和改造应满足预定的码头靠泊能力、舾装能力及设计使用年限。

2 维修和加固应使码头结构的功能达到继续使用的技术等级标准及设计使用年限。

6.1.2 设计前应对码头结构进行检测与评估。检测与评估的目标、范围和内容应按设计和使用要求确定。具体方法和要求除应符合本章规定外，尚应符合本规范第4章的有关规定。

6.1.3 评估前应根据码头特点完成相应的调查、检测和复核验算工作。

1 环境条件调查应包括下列内容：

1)码头设计水域的水深和冲淤变化；

2)波浪、水流、水质等水文条件变化；

3)周边构筑物的变化等情况。

2 码头变位与变形的检测应包括下列内容：

1)高桩码头平面位置和高程变化、桩基的位移和倾斜；

2)板桩码头前沿线的变位、码头的横向水平变位、沉降和倾斜、锚锭结构的变位、拉杆及其连接构件的变形；

3)重力式码头前沿线的位置、码头的横向水平变位、沉降和倾斜、岸坡及基床、基础的冲刷变化；

4)码头后方陆域地表局部沉陷的位置、尺寸。

3 码头结构构件破损检测应包括下列内容：

1)钢筋混凝土构件裂缝的数量、位置、走向、长度、宽度及深度；

2)混凝土构件的变形、损伤的位置、区域和程度；

3)结构中钢筋的锈蚀程度；

4)基桩的完整性；

5)钢构件损伤的位置、区域和程度，构件的变形、扭曲及腐蚀程度。

4 码头结构和构件的承载力复核验算应包括码头上部结构构件的承载力，基桩承载力，接岸结构的承载力，锚锭结构及拉杆、基床和地基承载力。

5 结构的稳定性验算应包括重力式码头墙底面和墙身各水平缝的抗倾、抗滑稳定性，基床底面的抗滑稳定性，板桩码头的踢脚稳定，码头及岸坡的整体稳定性。

6 耐久性调查和检测应包括下列内容：

1)钢筋混凝土腐蚀介质及工程环境调查；

2)混凝土及钢筋材料腐蚀劣化检测；

3)混凝土冻融劣化检测；

4)钢结构腐蚀状况检测和腐蚀环境检测；

5)防腐蚀措施情况检测。

6.1.4 码头结构的安全性、使用性和耐久性评估分级标准及处理要求可按现行行业标准《港口水工建筑物检测与评估技术规范》JTJ 302 的有关规定执行。

6.1.5 码头检测方法应符合现行行业标准《港口水工建筑物检测与评估技术规范》JTJ 302 和《水运工程水工建筑物原型观测技术规范》JTJ 218 的有关规定。

6.1.6 加固和改造后的码头验收标准可按水运工程的相关规定执行。

6.2 码头结构扩建和改造

6.2.1 码头结构的扩建设计宜包括接长、拓宽、加深前沿泊深等条件，设计前应对码头进行探摸、检测和评估。

6.2.2 码头结构的改造可选择下列形式：

1 高桩梁板码头改造通常可采用局部式、结合式、扩大护舷式等形式。

2 重力式码头改造可采用植桩式、扩大护舷式等形式。

6.2.3 码头接长、拓宽等设计可根据原码头的结构情况、工艺、荷载及地质地形等因素，选择合适的结构形式，进行方案比较后确定，并应符合下列规定：

1 接长应与所在区域条件相适应，并应考虑新老结构的连接处理条件。

2 拓宽可视结构特点和使用要求等情况，向码头后方拓宽。在后方陆域受条件限制，环境条件许可的情况下，也可向前沿拓宽。

6.2.4 高桩梁板码头的改造应符合现行行业标准《高桩码头设计与施工规范》JTS 167-1 的有关规定，可按下列方法进行：

1 当局部式改造适用于原码头整体结构基本完好，以增加码头基础承载能力为主时，可采用在原有排架前端或后端外侧增设桩基，并与原排架结合成整体，也可在主要的受力节点处对称加桩，并连成整体。

2 当结合式改造适用于原码头上部结构损坏较严重或上部使用工艺荷载变化较大时，可采用保留原有桩基及下横梁，在排架间增设桩基，加强结构的承载性能，按需要重新浇筑上部结构。

3 当扩大护舷式改造适用于原码头结构整体保存较好，承载能力满足使用要求，仅在码头前沿浚深受限制时，可采用外伸前沿线，局部扩大或加宽靠船构件的方式。

4 当分离式改造适用于码头结构基本完好，仅船舶荷载增大时，可将码头局部拆除，增设若干系靠船结构，或不超出原码头结构，直接在原码头增设系靠船设施。

6.2.5 重力式码头改造应符合现行行业标准《重力式码头设计与

施工规范》JTS 167-2 的有关规定，可按下列方法进行：

1 当植桩式改造适用于码头前沿需要浚深，以增加码头基础承载能力为主时，可采用在沉箱前仓格中植桩等加固方法。

2 当扩大护舷式改造适用于码头结构满足承载能力要求，码头前沿浚深受到限制时，可采用外伸前沿线，局部扩大或加宽靠船构件的方法。

6.2.6 码头改造设计应对结构主要构件进行验算。

1 高桩码头验算应符合现行行业标准《高桩码头设计与施工规范》JTS 167-1 的有关规定，并应分别验算下列内容：

1) 岸坡稳定；

2) 桩的承载力；

3) 构件的承载力。

2 重力式码头验算应符合现行行业标准《重力式码头设计与施工规范》JTS 167-2 的有关规定，并应分别验算下列内容：

1) 对墙底面和墙身各水平缝及齿缝计算面前趾的抗倾稳定性；

2) 沿墙底面和墙身各水平缝的抗滑稳定性；

3) 沿基床底面的抗滑稳定性；

4) 基床和地基承载力；

5) 构件的承载力。

6.2.7 板桩码头扩建和改造应符合现行行业标准《板桩码头设计与施工规范》JTS 167-3 的有关规定，并应按高桩码头和重力式码头扩建和改造原则进行。

6.3 码头结构维修和加固

6.3.1 重力式码头的维修和加固可按下列方法进行：

1 当基床冲刷严重或浚深超挖等原因造成墙身基底出现空洞时，宜采用袋装混凝土填补。当基床局部超深严重时，宜补抛块石。

2 当地基承载力不足或需要控制沉降量时，可采用注浆加固法 、高压喷射注浆法。

3 当码头整体稳定性不足时，可采用注浆加固、抗滑桩以及深层水泥搅拌桩等土体改良的方法。

4 胸墙及水位变动区墙身结构的裂缝修复，宜采用水泥压力灌浆、化学灌浆等方法。对于损坏面积较大、空洞较多等严重缺陷部位，宜采用局部拆除、重新浇筑混凝土等方法。

5 回填土流失造成局部塌陷、空洞时，宜开挖后按原结构修复，也可采用注浆等方法修复，修复后的结构受力、防漏土等性能应符合原设计要求、国家现行标准，或进行专门论证。

6 当墙身发生滑移错位等变形时，宜采用纠偏、拆除及重新安放、加固基础等修复方法。

7 构件的验算和复核应符合现行行业标准《重力式码头设计与施工规范》JTS 167-2 的有关规定。

6.3.2 高桩码头的维修和加固可采用下列方法：

1 当混凝土挡土结构局部出现空洞、塌坡时，宜采用袋装混凝土修补。当冲刷严重时应及时补抛块石护脚。

2 当基桩发生破损时，应进行结构补强，应进行补桩。混凝土桩顶部严重损坏时，可采用横梁或桩帽局部降低标高、局部补强的方法；桩身破损时，可采用钢套筒法、外包混凝土法等方法修复。水下部分混凝土桩产生裂缝或局部破损时，宜采用浇筑水下不离析混凝土修补。

3 梁、板等构件破损严重或钢筋锈蚀严重时，宜采用补焊钢筋、外包混凝土、粘贴钢板、植筋、增设支点、外加预应力等补强加固方法，修补后宜采取与原结构等效的防腐措施。

4 当混凝土构件表面裂缝较少且未深及钢筋时，可采用聚合物灌浆、混凝土表面防腐涂层保护封闭等维修方法。

5 当混凝土裂缝严重、裂缝集中、钢筋轻度锈蚀时，可采用压力灌浆、外包混凝土等维修和加固方法。

6 当钢结构防腐蚀设施损坏或失效时，应进行修复。

7 当钢结构锈蚀或损坏时，可采用粘贴钢板、焊接钢板或外包混凝土等补强加固措施，修补后宜采取与原结构等效的防腐措施。

8 当码头水平抗力或刚度不足时，可采用在码头后方补桩等方法。

6.3.3 板桩码头的维修和加固可按下列方法进行：

1 当码头帽梁、胸墙、导梁以及混凝土板桩损坏严重时，可按高桩码头或重力式码头的类似结构维修和加固。

2 当拉杆锚碇等系统损坏时，应针对损坏原因采取有效的补强措施。当拉杆、锚碇等构件损坏时，应按原结构修复或更换。

3 当钢结构防腐蚀设施损坏或失效时，应进行修复。

4 当钢结构锈蚀或损坏时，可采用粘贴钢板、焊接钢板或外包混凝土等补强加固措施，修补后宜采取与原结构等效的防腐措施。

5 当桩间漏土时，宜开挖后按原结构修复，也可采用注浆等方法修复，修复后的板桩受力、防漏土、透水等性能应符合原设计要求。

6 当码头整体稳定不足时，可采用抗滑桩、土体加固等方法补强。

6.3.4 当起重机轨道、系船柱、系船环、护轮坎、系网环和护栏等损坏时，宜按原样修复。系船柱修复后的系缆能力应与原设计一致。

6.3.5 护舷老化、变形、损坏、脱落，螺栓、垫板、护舷吊环、锚链锈蚀等应进行维修、加固和更换，维修和加固后的护舷变形一反力曲线等性能应与原设计一致。

7　船台滑道结构改造和加固设计

7.1　一般规定

7.1.1　船台滑道结构改造和加固设计可包括船台滑道接长和拓宽、结构维修和加固等内容。

7.1.2　改造设计前应对既有结构进行检测和评估。船台滑道结构检测和评估应包括地基基础、混凝土结构、钢结构、防腐蚀措施、止水系统等内容。

7.1.3　船台滑道及两侧护岸结构设计应符合当地防洪防汛要求。

7.1.4　船台滑道结构改造和加固设计基础资料除应符合本规范第3.2.1条规定外，还应包括周边起重机、平台、登船塔等设备的使用荷载及结构形式，周边管线情况，周边护岸及防汛墙的结构形式、防洪防汛标准等内容。

7.1.5　船台结构、滑道基础梁、钢轨、闸门止水装置等施工允许偏差应符合现行行业标准《纵向倾斜船台及滑道设计规范》CB/T 8502的有关规定。

7.2　船台滑道接长和拓宽改造

7.2.1　船台滑道接长改造设计内容可包括陆上段接长和水下段接长。船台滑道拓宽改造设计内容可包括闸门段拓宽、陆上段拓宽、水下段改造。改造设计应符合现行行业标准《纵向倾斜船台及滑道设计规范》CB/T 8502的有关规定。

7.2.2　船台滑道接长设计应复核尾艉区位置变化和船台板荷载变化等工况。

7.2.3　水下段节点设计应符合下列要求：

1　桩基上桩头与预制板梁结构的连接应符合现行行业标准

《纵向倾斜船台及滑道设计规范》CB/T 8502 的有关规定。

2 当水下段结构采用井字梁结构时，宜采用四点支承。

7.2.4 闸门段拓宽施工可采用下列方法：

1 在既有闸门墩外设置围堰，既有闸门墩部分或全部拆除后干施工。

2 利用既有闸门门墩及闸门作围堰。

3 不设置围堰，利用低水位施工闸门段。

4 不设置围堰，水上施工闸门段。

7.2.5 围堰设计计算应包括下列内容：

1 地基基础承载力计算；

2 整体稳定性计算；

3 渗流稳定性计算。

7.2.6 实体段的侧墙挡土结构形式应根据地基条件、使用要求、工程材料，以及现场施工条件等因素以及场地平面布置条件，通过技术论证确定。

7.2.7 船台滑道接长和拓宽改造设计计算应包括以下内容：

1 地基基础承载力的计算；

2 结构承载力计算；

3 整体稳定性计算。

7.2.8 新增桩基布置应充分发挥既有桩基的承载能力，并应符合下列要求：

1 同一结构段桩基桩尖宜打入相同持力层。

2 当需要考虑基桩后期承载力增大因素时，应通过现场静载试验确定。

7.2.9 新增止滑器位置宜布置在实体段。对设有止滑器坑的斜船台板结构，应进行抗滑稳定性验算及按偏心受压构件验算其承载能力。

7.2.10 滑道宽度增加时应按现行行业标准《纵向倾斜船台及滑道设计规范》CB/T 8502 的有关规定复核滑道结构，应采用利用既有结构、加大断面的方法。

7.3 船台滑道维修和加固

7.3.1 船台滑道地基基础加固应符合现行行业标准《既有建筑地基基础加固技术规范》JGJ 123和《港口工程地基规范》JTS 147-1的有关规定。

7.3.2 船台板加固宜采用增加截面等加固方法。

7.3.3 混凝土脱落或裂缝修补宜采用下列方法：

1 裂缝的修复宜采用水泥压力灌浆、化学灌浆等方法。

2 当结构中梁、板等构件破损严重或钢筋锈蚀严重时，宜采用补焊钢筋、外包混凝土、粘贴钢板、植筋、增设支点加固等补强加固方法。

7.3.4 船台、横移区及滑道维修和加固工程，可根据荷载大小，逐级考虑将轨枕道碴结构改造成天然地基上的梁板结构，将天然地基上的梁板结构改造成桩基或支墩基础上的梁板结构等。

7.3.5 天然地基上的梁板结构可采用进行地基加固、增加地基承载力以及增加梁板截面以提高结构承载力的改造加固方法。

8 监　　测

8.0.1　水工构筑物的改造应减少改造施工对原构筑物及周边环境、生产设施及正常作业等的不利影响，并应在施工过程中进行全过程监测。

8.0.2　监测应符合按现行行业标准《水运工程水工建筑物原型观测技术规范》JTJ 218 的有关规定。监测项目、监测点布置、监测周期、监测频次、报警值应结合建筑物类别、结构形式、改造内容、规模、场地条件等实际情况选择确定，并应符合设计要求。

8.0.3　监测工作应符合下列规定：

1　应根据监测目的明确监测仪器和设施的布置，紧密结合工程实际，突出重点，兼顾全面，相关项目统筹安排，配合布置。

2　仪器设备应耐久、可靠、实用、有效，宜采取自动化监测方法。

3　仪器的安装和埋设应及时，应按设计要求精心施工，并应做好仪器的保护。埋设完工后，应及时做好初期测读并绘制竣工图、填写考证表，存档备查。

4　仪器监测应与巡视检查相结合。

5　监测应严格按照规程规范和设计要求进行，相关监测项目宜同时监测；针对不同监测阶段，应突出重点进行监测；当发现异常时，应立即复测和加测。

附录A 后锚固设计

A.1 一般规定

A.1.1 后锚固安装用的结构粘结剂宜采用改性环氧树脂胶粘剂，填料应在工厂制胶时添加，不得在施工现场掺入。粘结剂的安全性能指标应符合现行国家标准《工程结构加固材料安全性鉴定技术规范》GB 50728 的有关规定。

A.1.2 后锚固构件的设计使用年限不应小于加固后结构使用年限。

A.1.3 后锚固安装用的钢筋应采用热轧带肋钢筋。钢筋的质量应符合现行国家标准《钢筋混凝土用钢　第 2 部分：热轧带肋钢筋》GB 1499.2 的有关规定。

A.1.4 后锚固安装用的螺杆应采用通长全螺纹的螺杆。螺杆质量应符合现行国家标准《低合金高强度结构钢》GB/T 1591 和《碳素结构钢》GB/T 700 的有关规定。

A.1.5 对有抗震设计要求的构筑物结构，结构粘结剂应通过构件系统的抗震性能测试。

A.1.6 对有耐腐蚀环境要求的后锚固连接，连接件应进行防腐蚀处理。

A.1.7 对有温度效应影响的后锚固连接，应采用耐候的结构粘结剂，并应根据耐候性能指标进行后锚固设计。

A.1.8 对潮湿孔壁及水下安装的后锚固连接，应采用耐潮湿环境型粘结剂，锚固设计应考虑其潮湿影响系数。

A.2 锚固设计

A.2.1 钢筋混凝土结构间可采用图 A.2.1 所示的锚固形式。

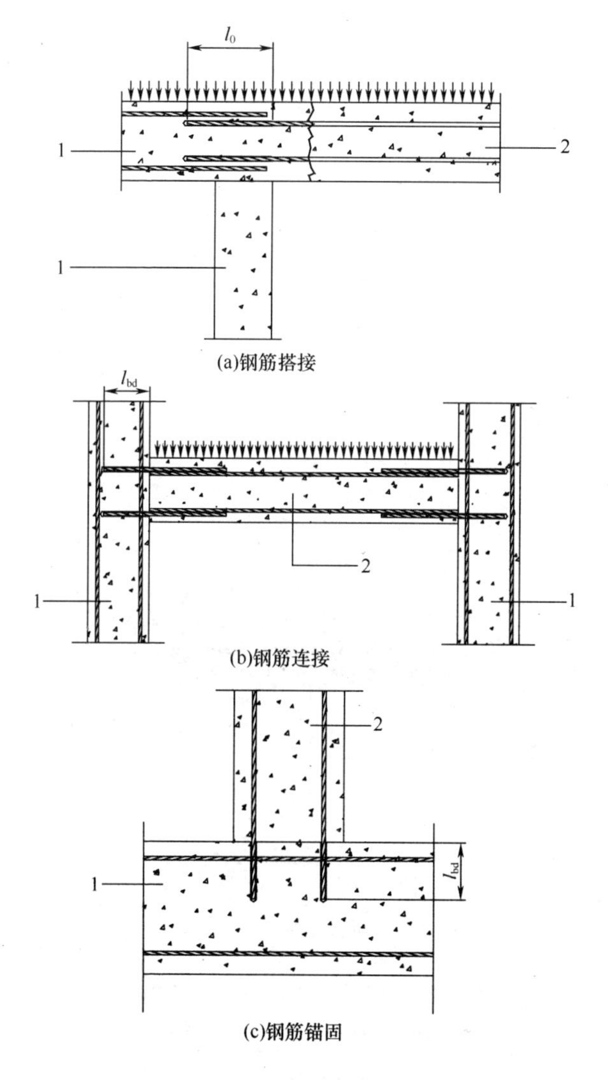

图 A.2.1 钢筋混凝土结构的锚固

1—既有混凝土结构；2—新建混凝土结构

A.2.2 钢筋混凝土结构与钢结构可采用图 A.2.2 所示的锚固形式。

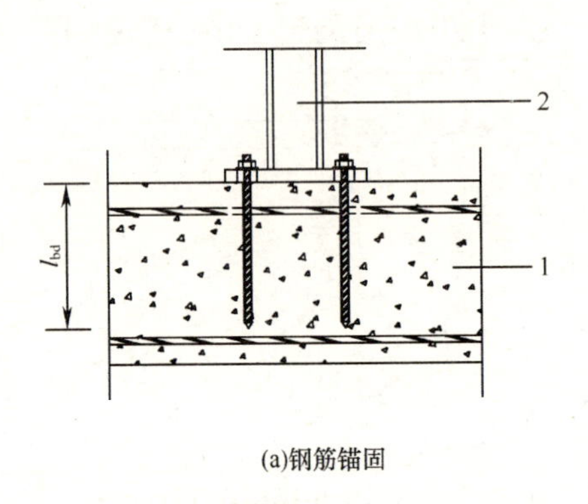

(a)钢筋锚固

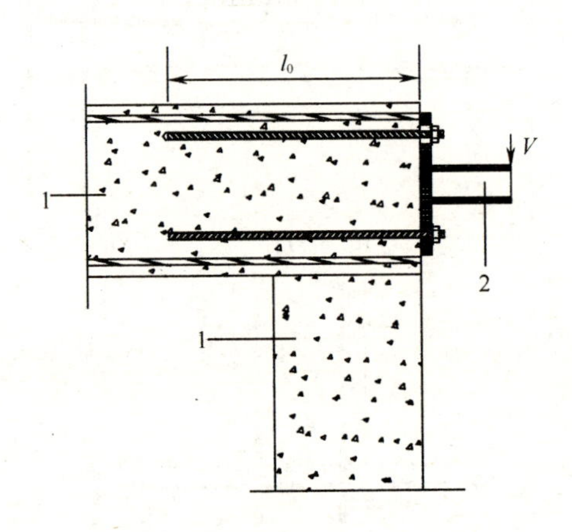

(b)钢筋搭接

图 A.2.2 钢筋混凝土结构与钢结构的锚固

1—既有混凝土结构；2—新建钢结构

A.2.3 基本锚固长度应按下式进行计算：

$$l_{b,rqb} = 0.2\alpha_{spt} d f_y / f_{bd} \qquad (A.2.3)$$

式中：$l_{b,rqb}$ —— 不含工况影响系数的钢筋锚固长度(mm)；

α_{spt} ——防止混凝土劈裂的计算系数；

d ——钢筋的公称直径（mm）；

f_y ——钢筋的屈服强度；

f_{bd} ——结构粘结剂的粘结设计强度。

A.2.4 设计锚固长度应按下式进行计算：

$$l_{bd} = \alpha_1 \alpha_2 \alpha_3 \alpha_4 l_{b,rqb} \geqslant l_{b,min} \quad (A.2.4)$$

式中：l_{bd} ——含工况影响系数的钢筋锚固长度(mm)；

α_1 ——基材孔壁潮湿影响系数；

α_2 ——基材温度影响系数；

α_3 ——钢材的位移延性系数；

α_4 ——考虑结构构件受力状态对承载力影响的系数；

$l_{b,min}$ ——最小锚固深度(mm)。

A.2.5 纵向受拉钢筋搭接长度修正系数应符合表 A.2.5 的规定，搭接设计长度应按下式进行计算：

$$l_o = \alpha_1 \alpha_2 \alpha_3 \alpha_4 \xi l_{b,rqd} \geqslant l_{o,min} \quad (A.2.5)$$

式中：l_o ——纵向受拉钢筋的搭接设计长度(mm)；

ξ ——纵向受拉钢筋搭接长度修正系数，按表 A.2.5 取值；

$l_{o,min}$ ——最小搭接深度(mm)。

表 A.2.5 纵向受拉钢筋搭接长度修正系数

纵向钢筋搭接接头面积百分率(%)	≤25	50	100
ξ	1.2	1.4	1.6

注：1 当实际搭接接头面积百分率介于表列数值之间时，应按线性内插法确定 ξ 值；

2 对梁类构件，受拉钢筋搭接接头面积百分率不应超过 50%。

A.3 构 造 规 定

A.3.1 搭接钢筋间的净间距应大于 $4d_s$，钢筋搭接长度应增加，增加长度应为净距与 $4d_s$ 的差值(图 A.3.1)。

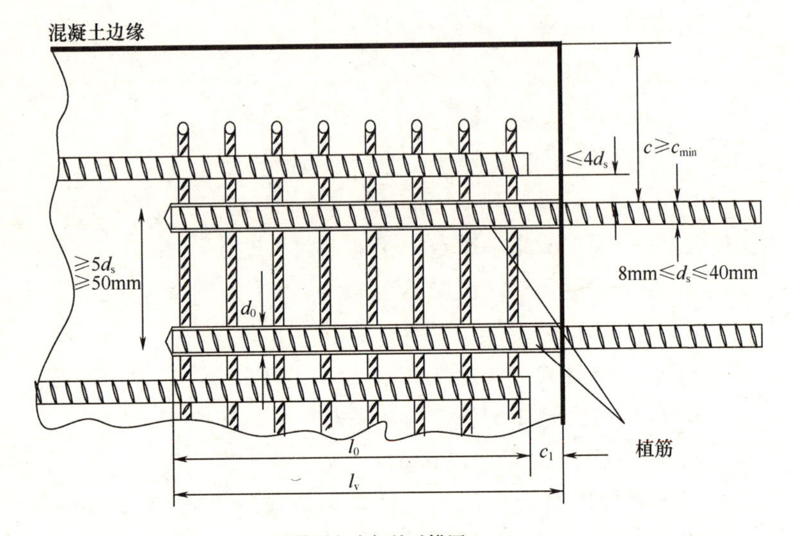

(a)钢筋混凝土间的后锚固

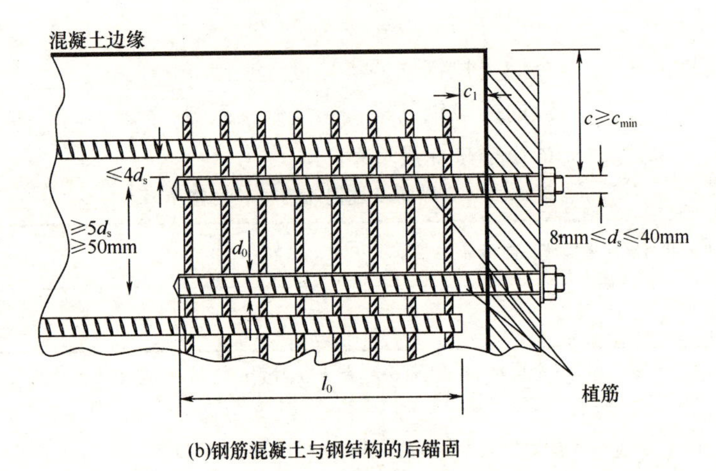

(b)钢筋混凝土与钢结构的后锚固

图 A.3.1 构造要求

A.3.2 后锚固设计应符合下列规定：

1 电锤器钻孔最小混凝土保护层厚度应按下式进行计算：

$$c_{\min} = 30 + 0.06 l_v \geqslant 2d_s \text{(mm)} \quad \text{(A.3.2-1)}$$

2 气压泵钻孔最小混凝土保护层厚度应按下式进行计算：

$$c_{\min} = 50 + 0.08 l_v \geqslant 2d_s \text{(mm)} \quad \text{(A.3.2-2)}$$

3 钢筋间的最小距离 a 应按下式进行计算：

$$a = 50\text{mm} \geqslant 5d_s \quad \text{(A.3.2-3)}$$

式中：$c_{\min}$ ——混凝土保护层最小厚度(mm)；

l_v ——锚固长度 $= l_o + c_1$ (mm)；

l_o ——纵向受拉钢筋的搭接设计长度(mm)；

c_1 ——既有混凝土结构的保护层厚度(mm)；

d_s ——钢筋直径(mm)。

A.3.3 混凝土基材的最小厚度应按下式进行计算：

$$h_{\min} \geqslant l_{bd} + 2d_{nom} \quad \text{(A.3.3)}$$

式中：$h_{\min}$ ——混凝土基材最小厚度(mm)，$h_{\min} > 100$mm；

l_{bd} ——含工况影响系数的钢筋锚固长度(mm)；

d_{nom} ——钻孔直径(mm)。

本规范用词说明

1 为便于在执行本规范条文时区别对待，对要求严格程度不同的用词说明如下：

1）表示很严格，非这样做不可的：

正面词采用“必须”，反面词采用“严禁”；

2）表示严格，在正常情况下均应这样做的：

正面词采用“应”，反面词采用“不应”或“不得”；

3）表示允许稍有选择，在条件许可时首先应这样做的：

正面词采用“宜”，反面词采用“不宜”；

4）表示有选择，在一定条件下可以这样做的，采用“可”。

2 条文中指明应按其他有关标准执行的写法为：“应符合……的规定”或“应按……执行”。

引用标准名录

《碳素结构钢》GB/T 700
《钢筋混凝土用钢　第2部分:热轧带肋钢筋》GB 1499.2
《低合金高强度结构钢》GB/T 1591
《港口工程可靠性设计统一标准》GB 50158
《混凝土结构加固设计规范》GB 50367
《工程结构加固材料安全性鉴定技术规范》GB 50728
《纵向倾斜船台及滑道设计规范》CB/T 8502
《干船坞设计规范》CB/T 8524
《水运工程水工建筑物原型观测技术规范》JTJ 218
《港口水工建筑物检测与评估技术规范》JTJ 302
《水运工程抗震设计规范》JTS 146
《港口工程地基规范》JTS 147-1
《水运工程混凝土结构设计规范》JTS 151
《水运工程钢结构设计规范》JTS 152
《高桩码头设计与施工规范》JTS 167-1
《重力式码头设计与施工规范》JTS 167-2
《板桩桩码头设计与施工规范》JTS 167-3
《水运工程质量检验标准》JTS 257
《既有建筑地基基础加固技术规范》JGJ 123

中华人民共和国国家标准

船厂既有水工构筑物结构改造和加固设计规范

GB/T 51087-2015

条 文 说 明

制订说明

《船厂既有水工构筑物结构改造和加固设计规范》GB/T 51087—2015,经住房城乡建设部2015年2月2日以第740号公告批准发布。

本规范制订过程中,编制组进行了广泛的调查研究,总结了我国从20世纪80年代起几十年来船厂既有水工构筑物工程改造和加固设计的实践经验,在对长三角、珠三角、环渤海湾等船厂进行改造和加固设计过程中,积累了丰富的经验,创造性地提出了许多新技术。

为便于广大设计、施工、科研、学校等单位有关人员在使用本规范时能正确理解和执行条文规定,《船厂既有水工构筑物结构改造和加固设计规范》编制组按章、节、条顺序编制了本规范的条文说明,对条文规定的目的、依据以及执行中需注意的有关事项进行了说明。但是,本条文说明不具备与标准正文同等的法律效力,仅供使用者作为理解和把握规范规定的参考。

目　　次

1　总　　则 …………………………………………………………… (41)
3　基本规定 …………………………………………………………… (42)
3.1　一般规定 ……………………………………………………… (42)
3.2　设计基本原则 ………………………………………………… (42)
3.3　基本要求 ……………………………………………………… (42)
4　既有构筑物的检测和评估 ……………………………………… (45)
4.1　一般规定 ……………………………………………………… (45)
4.2　既有构筑物的现场调查与检测 ……………………………… (46)
4.3　既有构筑物的评估 …………………………………………… (48)
5　船坞结构改造和加固设计 ……………………………………… (50)
5.1　一般规定 ……………………………………………………… (50)
5.2　船坞接长和拓宽改造 ………………………………………… (50)
5.3　船坞局部加深改造 …………………………………………… (52)
5.4　船坞结构维修和加固 ………………………………………… (53)
5.5　起重机轨道改造和加固 ……………………………………… (53)
6　码头结构改造和加固设计 ……………………………………… (55)
6.1　一般规定 ……………………………………………………… (55)
6.2　码头结构扩建和改造 ………………………………………… (56)
6.3　码头结构维修和加固 ………………………………………… (56)
7　船台滑道结构改造和加固设计 ………………………………… (59)
7.1　一般规定 ……………………………………………………… (59)
7.2　船台滑道接长和拓宽改造 …………………………………… (59)
7.3　船台滑道维修和加固 ………………………………………… (63)
8　监　　测 …………………………………………………………… (65)
附录A　后锚固设计 ……………………………………………… (66)

1 总　　则

1.0.2 船厂既有水工构筑物的维修主要是指结构局部损坏的修缮，不包括日常维修。本规范所涉及的“船坞”特指干船坞。

1.0.3 船厂既有水工构筑物的技术状态包括承载能力、安全性、使用性和耐久性等性状。

3 基本规定

3.1 一般规定

3.1.6 在对船厂调研时发现，船厂的水工建筑物如船坞、船台、码头、轨道基础存在超负荷使用的情况，比如材料码头设计堆载较大，将舾装码头临时当作材料码头使用，往往会造成码头损坏。船厂经常根据生产需要在原有吊车轨道上增加新的起重机，轮压超过原设计值，造成轨道梁损坏或沉降过大。

3.2 设计基本原则

3.2.1 有的船厂的水工建筑物因历史原因没有完整的竣工资料，可以根据施工图提出检测要求及勘察要求，由有关单位完成水工建筑物现状调查。改造和加固设计要满足船厂发展需求，减少对正常生产的影响，节省工程投资，并应尽量利用原结构，避免不必要的拆除，防止因改造或加固施工的不慎对结构造成新的损伤，在开展设计工作前要进行现场踏勘工作，了解业主的具体要求。

3.2.12 定期检测与长期监测可尽早发现事故的隐患，及时采取处理措施，避免坍塌等恶性事故的发生。对于恶劣环境中的既有结构，应适当缩短定期检测的年限。

3.3 基本要求

3.3.3 新老混凝土连接可参考图 1(设置凹凸槽)、图 2(与原结构主筋焊接)和图 3(植筋)。

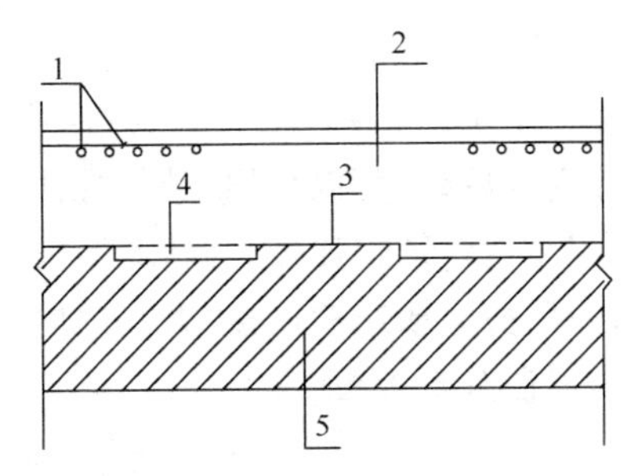

图 1　新老结构间施工缝节点示意图一

1—新建结构主筋；2—新建结构；3—既有结构表面(凿毛、湿润、冲洗)；
4—凹凸槽；5—既有结构

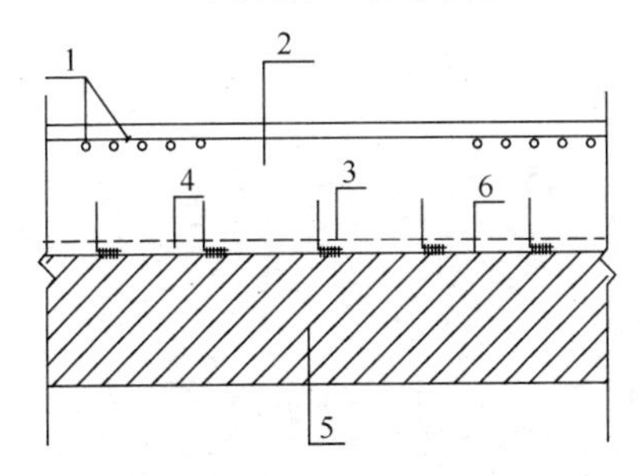

图 2　新老结构间施工缝节点示意图二

1—新建结构主筋；2—新建结构；3—既有结构表面；
4—既有结构主筋保护层；5—既有结构；6—既有结构主筋

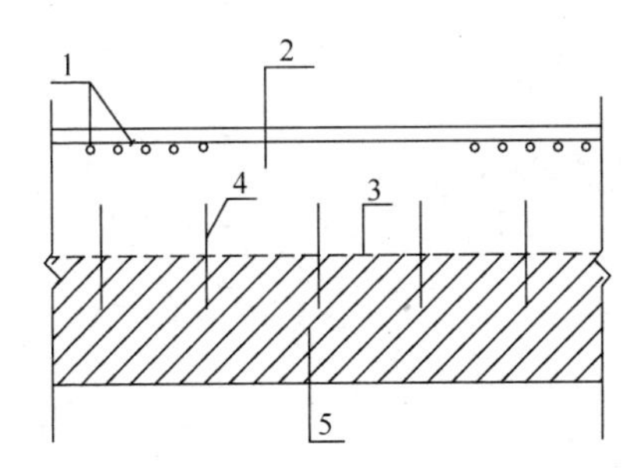

图 3　新老结构间施工缝节点示意图三

1—新建结构主筋；2—新建结构；3—既有结构表面(凿毛、湿润、冲洗)；
4—插筋(植筋)；5—既有结构

3.3.4 老结构经过多年的使用，沉降已经趋于稳定，新结构的基础在承载后一定会产生竖向位移，从而影响到结构上轨道、管线。根据差异沉降的程度及后果，可以采用不同的措施，当新老结构基础不同时，建议采用简直跨结构连接；当新老结构基础相同且差异沉降较小时，可以采用剪力槽结构连接，若基础均为天然地基也可以采用在新老结构下设置基础板。

4 既有构筑物的检测和评估

4.1 一般规定

4.1.2 根据既有构筑物的现状，找出问题可能存在的方面，有针对性地制订检测方案。有时检测方案还需要与委托方或设计方共同研究制订。

4.1.3 检测方法和抽样方案应符合下列要求：

1 检测项目与内容应满足检测和评估要求，与评估的内容协调，达到检测和评估的预期目的。

2 现场检测工作宜按照从下而上、由表及里、由浅入深的程序进行。不同检测项目的检测点宜布置在同一区域或相邻区域，便于相互印证。

检测应优先选择无损检测的方法，当采用半破损或局部破损的检测方法时，应使其对结构的影响降至最小。

3 检测数量不宜低于现行行业标准《水运工程质量检验标准》JTS 257 的规定。对于建成年代久远，长期超载使用，历史上曾经遭受撞击、台风等灾害的既有构筑物，应适当增加检测数量。当检测数据变异性大或数据异常，提交结论有困难时，应适当增加检测数量。

4.1.4 提交成果有时还应包括照片、视频等。照片、视频等应标明获取信息的位置和时间。

在正式出具报告前，应就报告的内容与合同、方案的符合性进行审核，与委托方对检测和评估结论进行协商，当发现检测项目漏项或检测数量不足时，应予以补测或复测。检测和评估报告应利于委托方对报告的审查、分析与使用。检测机构应对委托方对报告提出的异议予以解释或说明。

4.1.5 钻孔取芯、碳化、原位凿除、切槽等造成的局部损伤应及时进行修补。修补宜采用高于构件原设计等级的材料。

4.2 既有构筑物的现场调查与检测

4.2.1 本条说明如下：

1 现场调查应通过现场踏勘、询问有关人员，查看既有构筑物有无超载，使用条件是否改变，是否遭受自然灾害或偶发事件，大致目测现状，是否有明显沉降、不均匀沉降或倾斜、滑坡，是否修补加固等，进一步明确检测和评估的目的。

相关资料是检测、评估的重要依据之一，应全面细致地进行。对检测与安全性评估有较大影响的资料缺失时，应进行专项勘察、测绘及检测工作。

3 对于现行行业标准《港口水工建筑物检测和评估技术规范》JTJ 302 没有明确的检测内容、检测方法，应参考《海港工程混凝土结构防腐蚀技术规范》JTJ 275、《海港工程钢结构防腐蚀技术规范》JTS 153-3、《水运工程质量检验标准》JTS 257、《港口设施维护技术规程》JTS 310、《水运工程水工建筑物原型观测技术规范》JTJ 218、《港口工程桩基动力检测规程》JTJ 249、《港口码头结构安全性检测和评估指南》等相关现行规范进行。

4.2.2 地基与基础的检测内容依据加固改造要求，结合结构与基础变位情况、场地条件选用合适的方法进行。对于桩基础，应抽检部分基桩进行完整性检测。普检时发现存在明显缺陷的基桩应进行完整性检测。

当有特定要求时，尚应对前沿水深和冲淤变化情况等影响基础承载能力的环境条件进行调查与检测。当根据检测结果尚不能准确评估基础的安全性时，可对基础的实际承载能力进行检测，检测结果可作为评估基础安全性的依据。

当原岩土工程勘察报告不能满足加固改造要求时，应适当补充勘探孔或原位测试孔，查明土层分布及土的物理力学性质，孔位应尽可能靠近基础；对于需要增加结构自重的既有水工结构，尚宜在基础下取原状土进行室内土的物理力学性质试验。

4.2.3 混凝土构件外观缺陷的评定方法可按现行行业标准《港口水工建筑物检测和评估技术规范》JTJ 302 确定，并提供外观劣化度分级，检测数量宜为全部构件。

混凝土构件内部缺陷宜采用非破损方法进行，必要时宜通过钻取混凝土芯样或剔凿进行验证。对怀疑存在缺陷的构件或局部区域宜进行全数检测。

混凝土的结构损伤的检测项目包括损伤的面积、深度和位置，宜确定损伤对混凝土结构安全性及耐久性影响的程度。

尺寸的检测方法和尺寸偏差的允许值应按现行行业标准《水运工程质量检验标准》JTS 257 确定。截面尺寸应在损伤最严重部位量测。

混凝土构件的尺寸检测包括下列项目：构件截面尺寸、标高、构件轴线位置、预埋件位置、构件垂直度、构件倾斜度、表面平整度。

混凝土结构或构件变形的检测可分为构件的挠度、倾斜度、结构的倾斜和基础变位等项目，应符合现行行业标准《水运工程测量规范》JTS 131 的规定。

钢筋的检测包括位置、保护层厚度、直径、锈蚀状态和力学性能、碳化深度等项目。

混凝土结构钢筋分布状况的调查包括钢筋位置和保护层厚度测量，缺失资料时还应包括钢筋直径估算。宜采用非破损方法进行检测，必要时可凿开进行验证。

混凝土中钢筋锈蚀状况宜采用原位剔凿检测、取样检测等直接方法进行检测，当采用混凝土中钢筋电位法检测时，宜配合直接方法进行验证。

混凝土力学性能检测一般是指混凝土的抗压强度检测。当有特定要求时，可对混凝土抗拉强度、抗折强度、弹性模量、表面硬度等进行专项检测。

钢筋抗拉强度一般依据设计、施工有关资料确定，仅当无资料可查时，应通过调查建造年代、材料来源、查看结构外观等进行分析判定。

混凝土中的氯离子含量，可采用现场按混凝土不同深度取样，通过对样品进行化学分析的方法加以测定。试验应符合现行行业标准《水运工程混凝土试验规程》JTJ 270 的规定。

当有特定要求时，尚应对混凝土中碱含量、碱骨料反应和游离氧化钙危害性进行专项检测。

4.2.4 钢结构构件厚度检测应根据外观检测结果选择腐蚀严重和应力大的部位，以平均值为代表值。对于受腐蚀后的钢结构构件，应将腐蚀层除净、露出金属光泽后进行。宜采用游标卡尺量测，条件不具备时可采用超声波法。

对于锚拉杆，可采用现场开挖的方法进行检测。

当根据检测结果尚不能准确评估钢结构的安全性时，可进行结构应力检测，检测结果可作为评估结构安全性的依据。

4.2.5 附属设施的检验应符合现行行业标准《水运工程质量检验标准》JTS 257 的规定。

4.2.6 防腐蚀措施检测应符合现行行业标准《港口水工建筑物检测和评估技术规范》JTJ 302 的规定。

4.2.7 钢筋锈蚀后与混凝土之间握裹力，破损面板的残余承载力，旧桩的承载力，锈蚀钢拉杆的承载力、结构原位应力等不易确定，应通过荷载试验确定。应尽可能选择薄弱部位或者构件进行检测。

对于码头提高靠泊能力，船台、滑道等提高产品吨位的改造加固设计，在设计经验不足时，最大靠泊力、滑道反力等宜通过荷载试验确定。

4.3 既有构筑物的评估

4.3.1 评估可分为安全性评估、使用性评估和耐久性评估。

当原结构的使用功能或条件拟提高和改变时，应进行安全性、使用性和耐久性评估。

当出现影响结构安全和使用要求的情况，原结构要进行维修和加固时，应进行安全性和使用性评估。

当防腐蚀措施达到或超过设计使用年限，要对原结构进行维修和加固时，应进行耐久性评估。

目前现行行业标准《港口水工建筑物检测和评估技术规范》JTJ 302中，仅有混凝土结构、钢结构、防腐蚀措施，以及码头工程、防波堤及护岸工程具有评估分级标准，其他工程可参照执行。

4.3.2 对于已锈蚀的钢筋混凝土结构，应考虑锈蚀钢筋截面积减小、强度降低及钢筋与混凝土之间握裹力降低等因素。

地基与基础工作条件的变化包括桩基础冲刷、沉降及不均匀沉降、倾斜等。

复核验算内容包括结构强度和变形、裂缝宽度、地基与基础承载力、稳定性。

4.3.4 一般而言，船厂既有构筑物服役期越长，耐久性损伤越严重。除内部缺陷和荷载作用外，引起耐久性损伤的原因可归为：电化学等作用引起的钢筋锈蚀；酸、碱、盐等化学侵蚀作用和碱-骨料反应等内部化学作用；温度变化、冻融循环、霜冻、干缩、徐变、风化等物理作用；磨损、冲蚀和机械作用；高温和火灾作用。实际上，结构的耐久性损伤是众多因素紧密交叉、同时作用的结果。

5 船坞结构改造和加固设计

5.1 一般规定

5.1.4 排水减压式的结构采用降低底板下的扬压力的方法，可达到减少底板、桩基工程量，降低工程费用的目的。该形式目前在国内船厂船坞工程中广泛采用，即使原船坞结构没有采用该形式，如果条件许可仍应优先采用。

5.1.6 船坞结构的坞壁在施工过程中会产生向坞内的水平变位，若在变位稳定前施工廊道，有可能造成廊道止水带损坏，廊道上方轨道基础偏差。船坞底板原设计部分在荷载作用下已沉降稳定，新建区域则可能产生较大沉降，在新老底板间往往采用榫接头。

5.2 船坞接长和拓宽改造

5.2.5 在船坞改造工程中通常要求生产不能中断，对工程实施中周围建筑的位移要求较高，而且施工范围受到影响不能太大，在这种情况下一般不能采用拉锚板桩式的坞墙结构，例如外高桥 2 号船坞接长工程中，1# 坞与 2# 坞间距 52m，原坞壁采用锚碇钢板桩作为坞墙结构，2# 坞接长段有 120m 与 1# 坞相邻，为了不影响相邻 1# 坞的坞壁稳定，接长段在 1# 坞侧采用了格型地下墙；文冲船厂 1#、2# 坞改造工程中，1# 坞向北侧接长 72.76m，同时向西侧(2# 坞方向)拓宽 12m，2# 坞向北接长 35m。1#、2# 坞坞墙净距原为 26.8m，1# 坞拓宽后净宽仅为 14.8m，在保证相邻船坞正常工作的情况下，放坡开挖显得不切实际，为此设计采用双排钻孔灌注桩排桩作为坞墙结构。

新老坞墙结构不均匀变位包括水平方向不均匀变形和竖向不均匀沉降。新老结构间的结构缝设置传统做法可参考图 4。

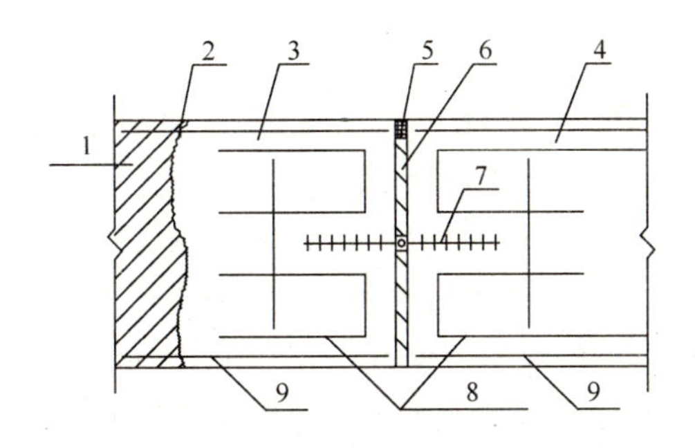

图 4　新老结构间结构缝节点示意图

1—既有结构；2—既有结构凿除面；3—既有结构凿除后新浇筑混凝土；
4—新建结构；5—密封油膏；6—嵌缝材料；7—橡胶止水带；
8—橡胶止水带夹持钢筋；9—结构主筋

5.2.9　船坞坞壁设计中，一般以使用期工况为控制工况，为了减少施工期工况的外荷载，通常采用墙后降水等措施来实现。但是该方法会引起周围地面的沉降，在改造工程中不宜采用。

5.2.12　无围堰湿法施工是近期在船坞工程中采用的一种新型施工方式，与传统的围堰施工方法不同，该方法先施工坞口部分结构，形成止水体系后施工剩余结构。

案例1：某船坞工程改造中原坞口结构向水域侧延伸同时船坞拓宽，设计采用钢浮箱作为坞墩的模板，在对地基处理后将钢浮箱浮运沉放到位，在浮箱内浇筑混凝土形成坞口结构，同时施工两侧相邻坞墙结构，形成止水系统，然后抽水形成干施工条件，拆除老坞口、坞室浇筑底板。

案例2：某船厂在船坞向坞口方向接长改造过程中，在不单独设置施工围堰的情况下，将配套码头和坞壁预制沉箱及大型钢浮箱坞墩直接在水下拼接，利用原有坞门，并做好止水，在坞坞室内抽水后，形成干施工条件，完成全部船坞主体工程的施工。

5.2.13　既有结构的拆除应满足环境保护的要求，如噪声、振动、粉尘等，还应尽量避免对保留结构的损伤，一般优先采用无损直线切割工艺。

静力无损直线切割：城市中心区，交通繁忙，人流密集，此处立交桥面需要更换，但不能中断交通；已经破损的旧建筑需要清理，有价值的古建筑需要整体迁移，但不能影响商业区的正常运营；河流上方或铁路上方的桥梁或通道需要快速地拆除，而不能影响通航或通车；钢铁厂的高炉需要清炉或切割，时间紧且不可影响其他高炉的运行；船厂既有水工建筑物的部分结构拆除不允许给需要再利用的剩余结构带来震动和损伤。这些形状不一、体积巨大的钢筋混凝土结构或纯钢结构拆除受场地、时间等多方限制，无法采用传统的方法。采用无震动直线平面机械整体切割技术，即采用圆形锯片，称为墙锯或片锯，或一定长度的合金链条，称为链锯或线锯，可以取得拆除作业面成为平面、节省施工空间、无震动、不影响原结构使用质量、较小影响环境、拆除周期短、效率高、安全可靠、总体成本低的效果。

5.3 船坞局部加深改造

5.3.1 船坞加深改造一般是指为了满足特种船只建造或修理要求对船坞结构进行局部加深的改造。例如，某船厂为适应生产需要，在既有船坞底板上增设球鼻首坑和螺旋桨坑各一个，平时该坑采用预制钢筋混凝土方块填塞。坞艏部分球鼻首坑的尺寸为14.25m×4.8m×1.5m（长×宽×深），坞口部分螺旋桨坑的尺寸为4m×12m×0.9m（长×宽×深）。局部加深改造一般以不增加坞墙改造和加固投资为宜。

5.3.3 当局部加深基坑开挖边线与坞墙内边线距离小于2.5倍基坑开挖深度时，宜采用切割技术拆除局部加深区域底板。加深基坑靠近坞墙侧的底板作为坞墙的支撑结构，要求有一定的承载能力及变形刚度，当不能满足该要求时，需考虑对坞墙进行改造加固，成本将会大大增加。

5.4 船坞结构维修和加固

5.4.4 当船坞止水系统修复采用搅拌桩或旋喷桩等方案时，应采取措施避免堵塞船坞减压排水系统，否则会造成减压排水系统失效、底板上浮的事故。

5.5 起重机轨道改造和加固

5.5.1 起重机轨道的升级包括在既有轨道上增加起重机的数量以及升级起重机起吊能力、提升起重机抗风锚碇装置能力等内容，起重机轨道接长包括轨道梁、电缆槽等供电结构接长以及增加锚碇装置等附属结构等内容。

5.5.4 应在满足工艺技术要求的前提下，按照结构安全、施工易行的原则布置各种结构的平面位置。锚碇、防风拉锚等附属结构一般设置在轨道梁结构分段的中间位置，这样较有利于轨道梁的整体稳定。

5.5.5 轨道接长应符合下列规定：

1 起重机轨道接长段的结构设计可以参照既有起重机轨道的图纸，但必须按照现行相关设计规范进行计算复核，并结合施工条件、造价等方面综合确定；

起重机轨道接长结构设计应按下列步骤进行：

(1)搜集基础资料、起重机设备资料、轨道设计图纸、竣工图及测量数据等；

(2)调查接长线路邻近建(构)筑物以及地下管线等情况；

(3)对岩土工程勘察资料进行分析，结合既有起重机轨道设计图纸进行结构选型；

(4)分析轨道接长段施工对邻近建(构)筑物以及地下管线等周边环境的影响，提出处理方案；

(5)轨道接长段与既有轨道相接处结构的改造设计，包括车挡拆除、钢轨连接等节点。

2 起重机轨道接长段施工前需对现有轨道的沉降、位移情况进行分析，测量、检查钢轨顶标高、水平偏差等数据，必要时可对钢轨进行调整，以保证起重机轨道接长段与现有轨道钢轨能够平顺连接。

3 轨道梁连接处减少沉降差的技术措施包括有采用设置简支段、纵向剪力槽、传力杆、垫板等。

5.5.6 轨道升级改造应符合下列要求：

1 需要升级起重机起吊能力时，在制订轨道结构改造方案前，必须根据现状条件、结合生产需求，对新建还是改造做技术、经济、施工等多方面的可行性比较分析。

起重机升级改造设计应按下列步骤进行：

(1)搜集场地岩土工程勘察资料、轨道现状测量资料、起重机设备资料、既有轨道设计图纸及竣工图等基本设计资料；

(2)既有轨道结构及其基础地基承载能力进行验算复核；

(3)起重机轨道梁结构加固方案设计；

(4)合理布置需要增加的起重机锚碇检修、电缆沟槽、供电坑等附属设施；

(5)进行锚碇、供电坑等结构的改造加固设计。

2 根据国内大量工程经验，轨枕道碴基础具有以下特点：

(1)结构轻型，便于施工，施工进度较快；

(2)工程用料与投资少；

(3)适宜于各种工程地质条件，但在软基上易产生不均匀沉降，需经常维修调整；

(4)适宜于荷载较小的吊车道基础，轮压一般宜在 250kN 以下；对于 250kN～300kN 的轮压荷载的适用性需进行验证分析；300kN 以上的轮压一般只宜在比较坚硬的地基上采用。

6 码头结构改造和加固设计

6.1 一般规定

6.1.1 船厂码头工程的改造(包含扩建)主要是指码头功能、规模等的改变,一般具有码头使用性能改造、结构强度提升或泊位平面尺度等改变的特征,其主要目标是提高既有码头的功能和靠泊、舾装能力或改变码头的使用功能等。

既有码头的加固(维修)主要是针对码头出现了影响结构安全和使用的变形、损伤、腐蚀等情况进行的,设计需要把码头结构加固维修恢复到原码头功能或使用要求的技术等级标准或目标使用年限。

6.1.3 调查、检测是结构复核验算和评估的依据,需要根据评估目标,采用合适的方法和工具,提供验算和评估需要的参数。对于仅通过观察提供的定性分析描述内容要客观和准确。

混凝土冻融劣化检测包含劣化、老化、碳化、腐蚀、保护层检测。

钢结构外观检测应针对大气区、浪溅区、潮差区和水下区等不同部位分别进行检测。

防腐措施情况的检测主要包括:混凝土结构涂层劣化检测、钢结构涂层劣化检测、外加电流阴极保护效果检测等。

6.1.4 评估应针对不同的使用要求和目标进行。

安全性、使用性评估一般按承载能力极限状态和正常使用极限状态进行分析。耐久性评估是根据材料劣化程度或防腐措施的有效性对结构进行评估,主要针对处于海水环境中混凝土结构因氯离子渗入和冻融损伤引起混凝土中钢筋发生锈蚀、混凝土保护层开裂、结构承载力下降等损伤过程,及对使用年限的影响。

当耐久性损伤导致安全性、使用性功能明显退化时，也可按承载能力极限状态和正常使用极限状态进行安全性或使用性分析。

6.1.6 船厂码头的加固与改造方案形式较多样，施工条件特殊，有时工作面小，需采用人工或小型机械施工，质量不容易控制。设计可要求根据水运工程的检验标准进行验收。

6.2 码头结构扩建和改造

6.2.2 码头结构的改造主要指不改变现有岸线位置、长度的前提下，采用加强和加固码头结构和构件的方法，提升码头靠泊能力或适应工艺功能的改变。

6.2.3 前沿拓宽一般要改变岸线的位置，涉及因素较多，建议在改造时应慎重。如果确有必要向海侧扩宽，扩宽结构要能承受船舶荷载，并处理好和老码头结构之间的相互影响。

6.2.4 在高桩梁板码头改造中，码头前沿浚深宜在 2m 范围内，可通过限制码头船舶荷载来解决。超过 2m 以上，应经桩力验算后确定是否需要采取在排架间加桩等措施来满足排架受力状态的变化。并在码头下适当削坡，复核码头整体稳定性。

6.2.5 重力式码头前沿增深后，对原有结构影响较大，改造方案结构设计较复杂，应慎重处理。

6.2.6 本条仅列出主要验算的内容，具体验算内容应根据项目具体确定。

6.2.7 根据规范编写组的调查情况，目前国内没有成熟的板桩码头扩建和改造的具体案例，但随着今后类似扩建和改造工程增加，规范将进一步补充完善。

6.3 码头结构维修和加固

本节是在对近年来对码头维修与加固实践进行调研与分析的基础上，借鉴国内外相关标准并广泛征求有关单位和专家意见编制的。

土体流失损坏宜开挖后按原结构修复，当开挖有困难采用注浆方法修复时，应考虑方法的适用性，注浆修复后结构的受力、透水性等应符合原设计要求，防止产生超过原设计要求的侧向土压力或水压力。

码头结构的修复加固技术多种多样，一般可分为化学灌浆加固、水泥灌浆加固、喷射混凝土加固、外包混凝土加固、外包钢加固、粘贴钢板加固、粘贴高强纤维复合材加固、改变受力体系加固、预应力拉杆加固、预应力撑杆加固以及组合加固等，应根据具体情况采用。

混凝土基桩发生局部脱落、中小裂缝、钢筋轻度锈蚀等耐久性问题时，可采用聚合物灌浆、混凝土表面防腐涂层保护封闭等维修方法，如采用氰凝材料灌浆、喷涂聚脲弹性体、高分子树脂密封＋耐久性防水涂料等。基桩发生严重破损或断裂时，应进行补桩或结构补强。补桩一般采用拆除混凝土面板打桩的方法，为使补桩替代原桩时受力对称，可在原桩两侧对称位置各补 1 根桩，补桩应考虑施工对原码头结构的影响，宜优先采用非挤土桩或部分挤土桩。结构补强可根据具体情况采用不同的补强方案：当混凝土桩顶部发生严重破损时，可凿除桩顶和对应横梁或桩帽底部的混凝土，布置满足钢筋锚固与搭接要求的增强钢筋，采用横梁或桩帽局部降低标高进行局部补强；当泥上桩身破损时，可采用外套钢套筒法、外包混凝土法、粘贴钢板＋外包混凝土等方法修复，修复时需对混凝土桩进行表面处理，水下位置应浇筑水下不离析混凝土；当泥下桩身破损时，可采用沉井方法修复。

板桩上方水平位移外凸时，由于不可松弛原锚杆拉力，因此对原锚杆的修复存在一定困难，宜采用增设锚杆法加固，增设锚杆应与原锚杆错开一定的角度，增设锚杆与原锚杆的锚固净距应满足国家现行标准的规定。

当板桩前的土抗力不足时，对塑性较好的钢板桩经论证后也可采用重锤低夯法将块石等材料打入板桩前的土体中，从而提高板桩前的土抗力。

混凝土结构采用胶粘技术加固时,应选用符合技术要求、性能优良的结构型胶粘剂,表面处理应符合要求。过去港工混凝土结构采用胶粘技术加固时,时常发生耐久性不足的问题,应引起重视,对轨道梁、靠船构件等重要构件或承受动荷载的构件不宜采用胶粘技术。

7 船台滑道结构改造和加固设计

7.1 一 般 规 定

7.1.3 围堰防汛设计应符合当地防洪防汛要求。施工期和使用期的防汛要求要同时考虑。

7.2 船台滑道接长和拓宽改造

7.2.3 水下段节点设计应符合下列要求：

(1)混凝土井字梁与大头桩节点图如图 5 所示。

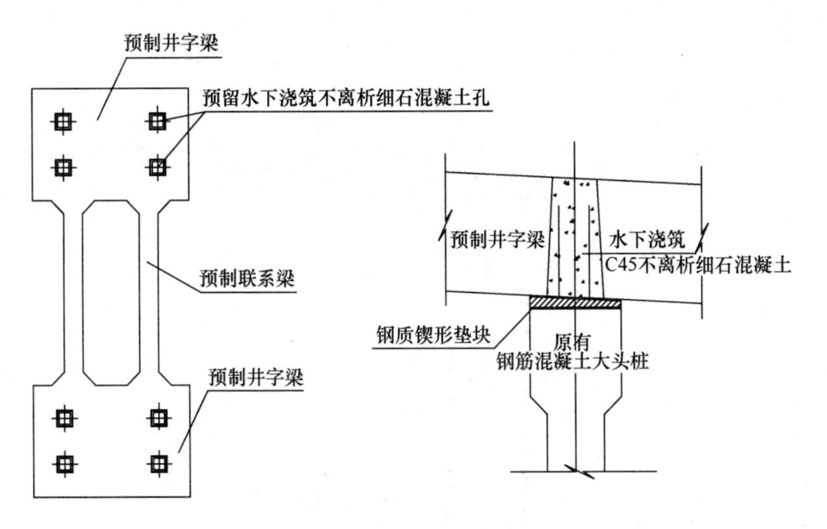

图 5 混凝土井字梁与大头桩节点图

(2)钢井字梁与桩帽节点示意图如图 6～图 9 所示。

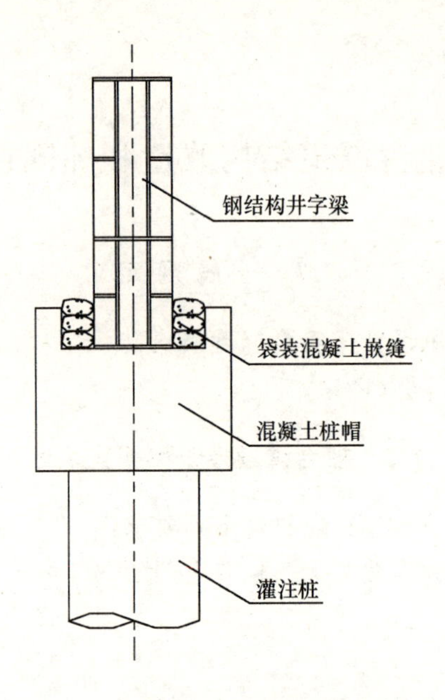

图 6　井字梁与桩帽连接节点示意图

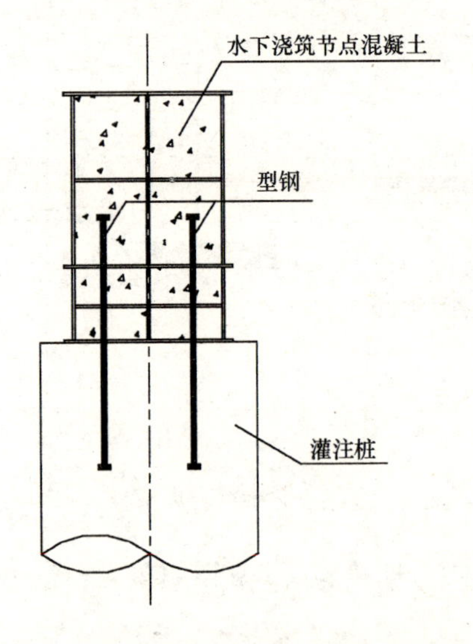

图 7　井字梁与灌注桩连接节点示意图

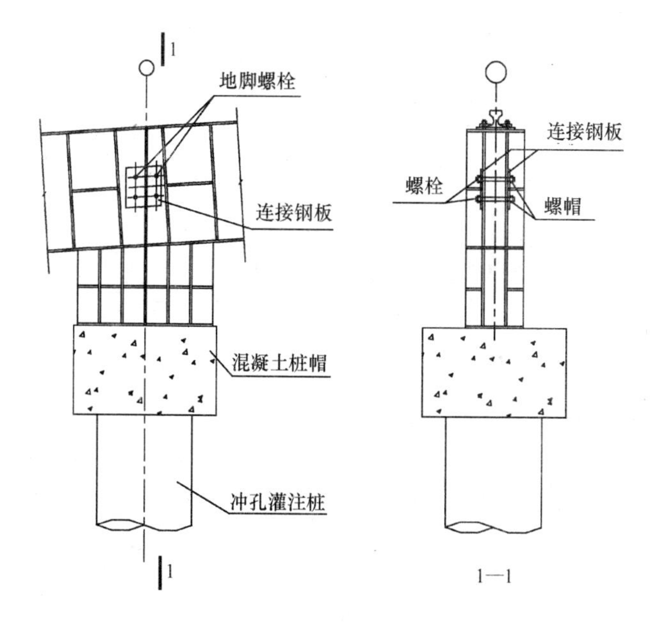

图 8　两榀井字梁之间连接节点示意图

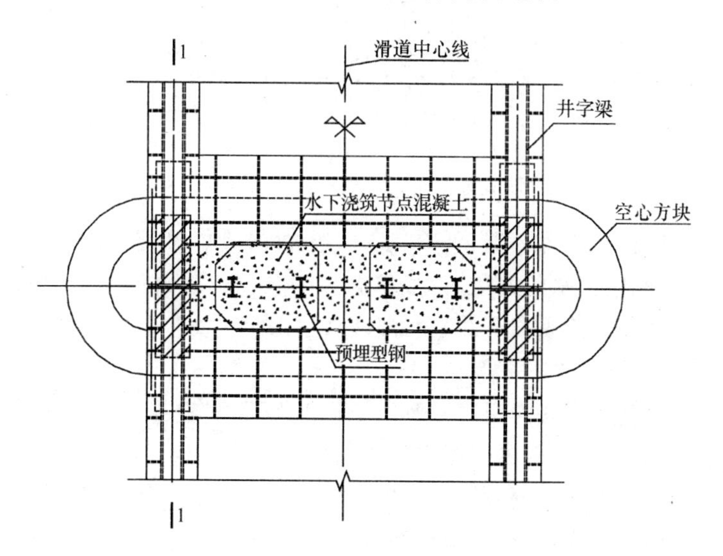

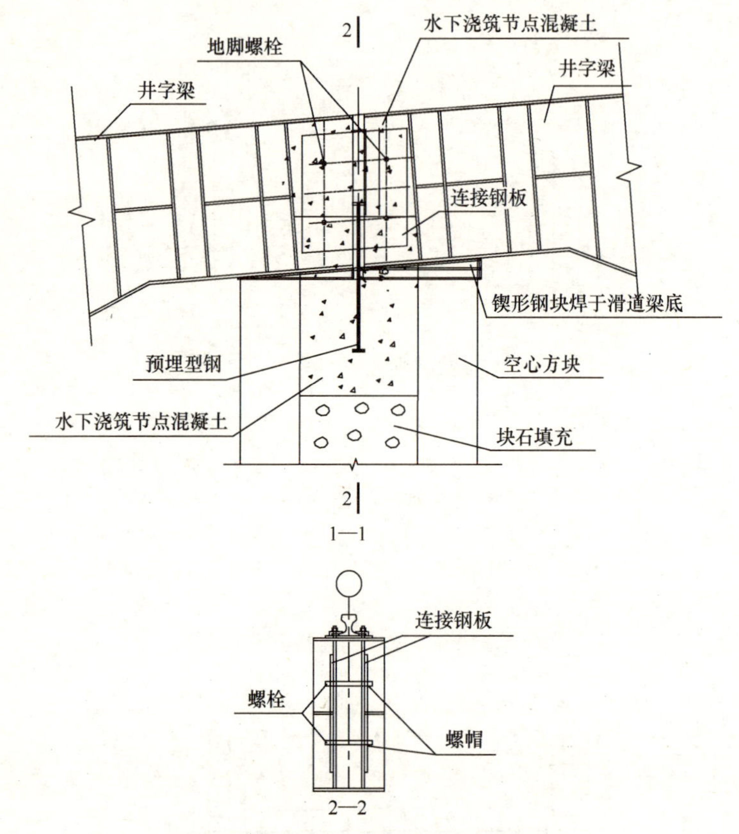

图 9　井字梁与空心方块连接节点示意图

7.2.4　沪东造船厂某船台改造，采用口门段后退，利用了原有闸门墩及闸门挡水的方法，形成干施工的条件。低水位施工即利用低潮位时间，抢水位干施工。湿法施工即水下施工，有许多船坞口门改造水下施工的案例。

7.2.5　利用既有闸门门墩及闸门作围堰时，抗滑稳定性验算不可考虑斜船台结构的顶撑作用。

7.2.6　实体段的侧墙挡土结构形式可采用以下三种形式：

(1)重力式，按挡土结构断面形式一般可分为实体式、悬臂式和扶壁式，适用于地基承载力较高或挡土高度较小的情况；

（2）前板桩桩基承台式，适用于场地较小和承载力较低的地基；

（3）锚碇板桩式，适用于挡土高度较高和承载力较低的地基。

7.2.7 整体稳定性计算包括抗滑及抗倾稳定性的验算，对板桩墙还需进行“踢脚”稳定性的验算。

承受较大墩木荷载的顶板应进行受冲切承载力验算。

基础、结构受船体下水时瞬间滑道荷载作用所产生的内力和变形应进行验算，并考虑滑道纵向整体性构造措施。

为保证拓宽结构的稳定性及整体性，必要时可适当拆除部分老结构，例如：架空段改造中，利用部分架空段，拆除部分架空段的分界可选定在船台滑道荷载有明显差别处。为保证拆除部分架空段的整体稳定，必要时可多拆除一些部分。利用老结构有多种形式，应因地制宜，例如：在船台加宽的情况下，可尽量选择有效利用现有滑道。

7.3 船台滑道维修和加固

7.3.2 增加截面可凿毛既有船台板，设置剪力槽或剪力筋，在既有船台板上另铺设上层钢筋。

7.3.4 船台、横移区、过渡区及纵横向滑道基础结构形式一般有轨枕道碴结构、天然地基及抛石基床上的梁板结构和桩基或支墩基础上的梁板结构。

轨枕道碴结构轻型，便于施工，施工速度较快，投资较少，适宜于中小型船台滑道工程的船台区和横移区。轮压一般宜在25t以下。轨枕道碴结构易产生不均匀沉降，整体性较差，不宜在有冻融循环、冲淤比较严重或受波浪影响较大的地区采用。

天然地基及抛石基床上的梁板结构比较坚固耐久，适用于岩基、中密以上砂土与黏土地基。该结构承载力较高，有利于改善地基应力分布和减少不均匀沉降。在水下应用时有一定防冲刷与波浪能力。工程造价略高。

桩基或支墩基础上的梁板结构承载能力较高,沉降变形较小,施工装配化程度较高,整体性较好,抗震能力较强,工程造价较高。

8 监　　测

8.0.2 围堰、严寒地区的水工建筑物等可根据需要确定观测项目。

附录A 后锚固设计

A.1 一般规定

A.1.1 后锚固是指通过相关技术手段在既有混凝土结构上进行锚固。随着旧房改造的全面开展、结构加固工程的增多、建筑装修的普及，后锚固连接技术发展较快，并成为不可缺的一种新型技术。顾名思义，后锚相应于先锚(预埋)，具有施工简便、使用灵活等优点。

A.1.2 现行国家标准《工程结构加固材料安全性鉴定技术规范》GB 50728 规定工程结构用的结构胶粘剂，其设计使用年限应符合下列规定：

当用于既有建筑物加固时，宜为30年；

当用于新建工程(包括新建工程的加固改造)时，应为50年；

当结构胶到达设计使用年限时，若其胶粘能力经鉴定未发现有明显退化者，允许适当延长其使用年限，但延长的年限须由鉴定机构通过检测，会同建筑产权人共同确定。

目前加固常用的结构胶一般是按30年使用年限设计的。为保证新建工程使用结构胶的安全，凡通过专项鉴定的产品，在项目应用时均应出具“可安全工作50年”的质量保证书，并承担相应的法律责任。

A.1.6 对结构胶粘剂的耐腐蚀性能检验，是因为考虑到船厂既有结构的加固多处于潮湿、大气、海水、污染区域等，因此本规范对有耐腐蚀要求的后锚固连接设计所采用的结构胶粘剂进行耐介质侵蚀性能的检验。检验内容可分为耐盐雾作用侵蚀能力、耐海水浸泡作用侵蚀能力、耐碱性介质作用能力和耐酸性介质作用能力。具体的测试环境及试件处理要求可参考现行国家标准《工程结构加固材料安全性鉴定技术规范》GB 50728。

A.2 锚固设计

A.2.3 基本锚固长度计算公式中，α_{spt} 为防止混凝土劈裂的计算系数，按现行国家标准《混凝土结构加固设计规范》GB 50367 的规定采用；f_y 为钢筋的屈服强度，按现行国家标准《混凝土结构设计规范》GB 50010 的规定采用；f_{bd} 为结构粘结剂的粘结设计强度，应按现行国家标准《混凝土结构加固设计规范》GB 50367 的规定采用。

A.2.4 设计锚固长度计算公式中，α_1 为基材孔壁潮湿影响系数，潮湿孔壁时，α_1 按产品说明书的规定值采用，明水孔壁和水下环境时，$\alpha_1 =1.5$。α_2 为基材温度影响系数，当基材温度 $T\leqslant 40$℃时，$\alpha_2 =1.0$；当基材温度 40℃$\leqslant T \leqslant$80℃时，应按产品测试报告的数值采用。α_3 为钢材的位移延性系数：当混凝土强度不高于 C30 时，对 6 度区及 7 度区一、二类场地，取 $\alpha_3 =1.1$；对 7 度区三、四类场地及 8 度区，取 $\alpha_3 =1.25$；当混凝土强度高于 C30 时，$\alpha_3 =1.0$。α_4 为考虑结构构件受力状态对承载力影响的系数，当为悬挑结构构件时，$\alpha_4 = 1.5$ ；当为非悬挑的重要构件接长时，$\alpha_4 = 1.15$ ；当为其他构件时，$\alpha = 1.0$ 。$l_{b,min}$ 为最小锚固深度，受拉钢筋为 $\max\{0.3l_{b,rqb};10d;100mm\}$ ；受压钢筋为 $\max\{0.6l_{b,rqb};10d;100mm\}$ 。

A.2.5 按现行国家标准《混凝土结构加固设计规范》GB 50367 中对植筋的设计，可知所用的螺杆或钢筋的直径范围在 8mm～40mm 之间。然而在实际的加固工程中，特别是船厂既有水工构筑物的加固设计中，常常需要计算比民用构建物所承受更大的外荷载，如：船坞码头的护玄、龙门吊、滑道等的加固。但这类的加固常常用到比 40mm 直径更大的钢筋或螺杆。但目前对于这类超大直径的后锚固设计，理论研究不多且不成熟，如遇到具体的大直径钢筋或螺杆项目，更多的是依赖设计师的工程经验和厂家所提供的技术资料。为此，本规范不纳入超出 40mm 直径的钢筋或螺杆的后锚固设计。等日后技术成熟，并配合多年成功的实际加固项目，再给予设计指导。搭接设计长度计算公式中 $l_{o,min}$ 为最小搭接深度，受拉钢筋为 $\max\{0.3\alpha_4 l_{b,rqd};15d;300mm\}$；受压钢筋为 $\max\{0.7\alpha_4 l_{b,rqd};15d;200mm\}$。钢筋搭接接头面积百分率定义应符合现行国家标准《混凝土结构设计规范》GB 50010 的有关规定。